CONVERSACIONES Y DISCUSIONES

Alejandro Magallanes

ediciones
el naranjo

—Quiero
decirte algo.

—Lo que
te conviene a ti,
no me conviene
a mí.

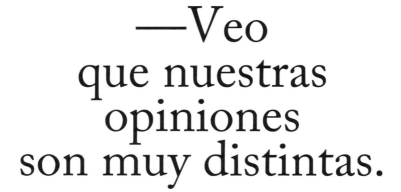

—Veo
que nuestras
opiniones
son muy distintas.

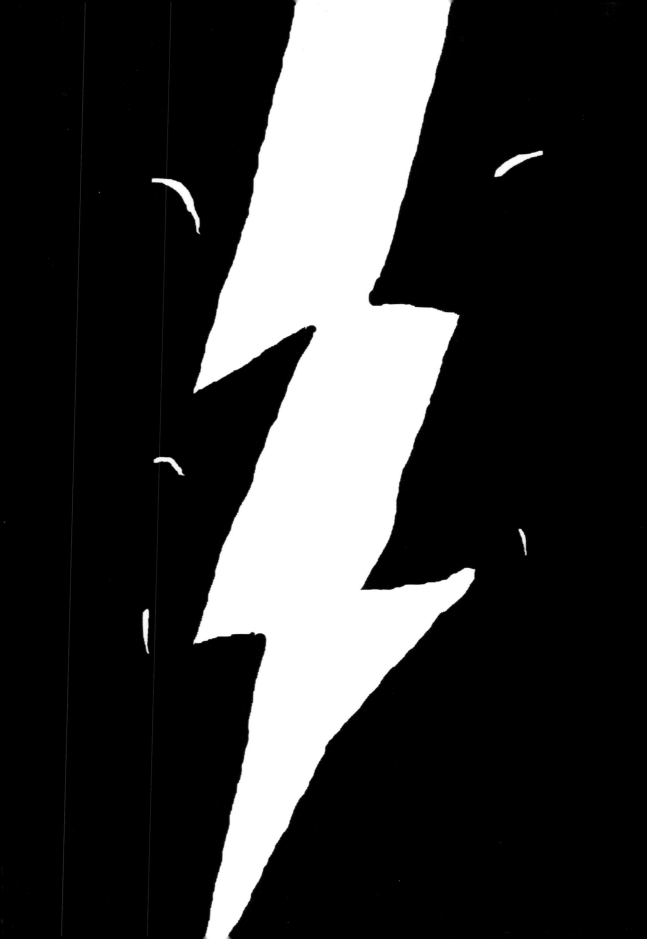

—No sé qué decirte.

—¡Sí!

—¡No!

—Quiero pensar
con calma
lo que me dices.

—Llevamos discutiendo todo el día.

—Debe existir
una forma
de arreglarlo.

—Ponte en mi lugar.

—Creo tener la razón.

—Yo también.

—Es hora de comer.

—Eso no lo discuto.

—Pongámonos de acuerdo.

—Ni blanco.

—Ni negro.

—¡Conversemos!

DIRECCIÓN EDITORIAL
Ana Laura Delgado

CUIDADO DE LA EDICIÓN
Angélica Antonio

FORMACIÓN
Isa Yolanda Rodríguez

© 2009. Alejandro Magallanes, por el texto y las ilustraciones

Primera edición
D.R. © 2009.   Ediciones El Naranjo, S. A. de C. V.
              Cerrada Nicolás Bravo núm. 21-1,
              Col. San Jerónimo Lídice, 10200, México, D. F.
              Tel/fax + 52 (55) 56 52 1974
              elnaranjo@edicioneselnaranjo.com.mx
              www.edicioneselnaranjo.com.mx

ISBN 978-607-7661-11-5

Impreso en México • *Printed in Mexico*

CONVERSACIONES
Y DISCUSIONES

se imprimió en el mes de agosto de 2009,
en los talleres de Offset Rebosán, en Acueducto núm. 115,
Col. Huipulco, Tlalpan, C. P. 14370, México, D. F. •
En su composición tipográfica se utilizó la familia Adobe Caslon Pro •
Se imprimieron 2 000 ejemplares en cartulina Domtar de 148 gramos
y con encuadernación en cartoné •
El cuidado de la impresión estuvo a cargo de Ana Laura Delgado.